To:

_____

From:

_____

Date:

_____

Job 1

Job 2

Job 3

Job 4

Job 5

Job 6

Job 7

Job 8

Job 9

Job 10

Job 11

Job 12

Job 13

Job 14

Job 15

Job 16

Job 17

Job 18

Job 19

Job 20

Job 21

Job 22

Job 23

Job 24

Job 25

Job 26

Job 27

Job 28

Job 29

Job 30

Job 31

Job 32

Job 33

Job 34

Job 35

Job 36

Job 37

Job 38

Job 39

Job 40

Job 41

Job 42